Ce livre appartie

_____

_____

_____

À Lili, mon p'tit boudinou.
À Maé, Tao et Manue.
À toutes celles et ceux qui en ont assez de bouder...
petits et grands :)

⭐ Les émotions de Gaston ⭐

JE BOUDE

Aurélie Chien Chow Chine

hachette
ENFANTS

Voici Gaston.
Une petite licorne comme toutes les autres,
ou presque...

Parfois, Gaston est content.
Parfois, il n'est pas content.
Parfois, il se sent triste.
Parfois, il est heureux.
Parfois, il est tout fou-fou.

Ce sont des émotions.

Et Gaston,
il ressent toutes sortes d'émotions.
Comme toi.

Mais Gaston a quelque chose de magique :
sa crinière.

Quand tout va bien, sa chevelure
prend les couleurs de l'arc-en-ciel.

Sinon, elle change de couleur
en fonction de ses émotions.

joyeux   jaloux   en colère   coupable

timide   apeuré   boudeur   triste

Comment se sent Gaston en ce moment ?

Pas très bien !

Ah ! Gaston ne se sent pas très bien.
Il fait tout gris dans son cœur
et il va nous expliquer pourquoi.

Et toi, comment te sens-tu aujourd'hui ?

très bien

bien

assez bien

pas très bien

mal

très mal

Pourquoi Gaston ne se sent-il pas très bien ?

Depuis quelques jours,
ce sont les vacances d'hiver.

Gaston et sa cousine Joséphine arrivent
chez Mamie et Papi. Les enfants sont heureux
de passer une semaine à la montagne
avec leurs grands-parents.

Quelle neige ! Chouette ! Gaston et Joséphine
vont faire de belles descentes en luge.

« C'est moi qui commence !
– Non, c'est moi !
– Chacun son tour ! gronde Papi.
Joséphine commence car c'est la plus petite.
Puis ce sera à toi, Gaston », explique-t-il calmement.

Gaston n'est vraiment pas content.
Sous prétexte qu'il est le plus grand,
il doit toujours faire des efforts !

Une fois en bas de la pente,
Joséphine remonte la luge.
« À toi, maintenant ! dit-elle gentiment
à son cousin.
– Non merci ! Je n'ai plus envie », répond Gaston.

Joséphine retourne jouer avec Papi,
sous le regard de Gaston.

« Gaston, tu boudes encore ?
demande Joséphine.
– Je ne boude pas ! » répond Gaston en boudant.

Joséphine n'insiste pas et va s'amuser
toute seule. Gaston reste dans son coin,
mais il aurait bien aidé sa cousine
à faire ce joli bonhomme de neige.

C'est l'heure du goûter !
Joséphine rentre au chalet avec Mamie.
Elle lui explique ce qu'il s'est passé.

« *GASTONNN*!!! VIENS !
ARRÊTE DE FAIRE DU BOUDIN ! »
crie Mamie au loin.
Très contrarié, *Gaston* boude de plus belle.
Tant pis pour le goûter, même s'il adore
la tarte aux myrtilles de Mamie.

À cause de sa mauvaise humeur,
Gaston rate de bons moments.
Il aimerait bien arrêter de bouder,
mais il ne sait pas comment faire.
Il se sent bloqué.

Au lieu d'attendre que ce nuage de bouderie
s'éloigne lentement tout seul, si on le chassait
grâce à **un mouvement de respiration**?

Toi aussi, quand tu sens ce nuage t'envahir,
tu peux faire ce mouvement pour le chasser.

Mouvement de respiration
pour chasser le nuage de bouderie

1 Gaston ferme les yeux.
Il imagine le gros nuage
gris dans sa tête.
Il inspire par le nez
en gonflant son ventre.

2 Gaston bloque sa respiration. Puis, avec sa tête, il fait un grand rond en imaginant autour de lui tous les bons moments qui lui apporteraient du soleil et qu'il rate à cause du nuage de bouderie.

3 Gaston souffle fort par la bouche et chasse ce gros nuage.

Gaston fait ce mouvement **3 fois**.

Il faut bien 3 respirations
pour chasser ce nuage qui fait bouder.

Puis Gaston reprend une respiration calme.
Maintenant qu'il s'est **libéré de ce gros nuage**,
il peut inviter le soleil dans sa tête.

Gaston se sent beaucoup mieux. Il n'est plus fâché.
Il a retrouvé sa bonne humeur et ses couleurs arc-en-ciel.
Il va pouvoir profiter pleinement des joies de la montagne
et surtout des doux moments en famille.

Si toi aussi, tu as remplacé ton nuage par le soleil,
tu te sens peut-être plus léger, apaisé.
Et ton sourire va pouvoir revenir !

Retrouve toutes les aventures de
Gaston la licorne

Les émotions de Gaston — JE SUIS TRISTE

Les émotions de Gaston — JE SUIS EN COLÈRE !

Les émotions de Gaston — J'AI PEUR

Les émotions de Gaston — JE SUIS TIMIDE

Les émotions de Gaston — JE SUIS JALOUX

Les émotions de Gaston — JE SUIS JOYEUX

Les émotions de Gaston — JE M'EN VEUX

Les émotions de Gaston — JE SUIS TOUT FOU-FOU

Les émotions de Gaston — JE BOUDE

Les émotions de Gaston — JE N'ARRIVE PAS À DORMIR

Les émotions de Gaston — JE M'ENNUIE

Les émotions de Gaston — JE SUIS VEXÉ

Les émotions de Gaston — JE ME CONCENTRE

Les émotions de Gaston — JE SUIS IMPATIENT

Les émotions de Gaston — JE SUIS AMOUREUX

Gaston la licorne — JE GAGNE MÊME QUAND JE PERDS

Gaston la licorne — LA ROUE DES ÉMOTIONS